Les 800 expressions pour tout dire en anglais

Brigitte Lallement, Nathalie Pierret

Les 800 expressions pour tout dire en anglais

ISBN : 978-2-7540-2475-4
Dépôt légal : avril 2011
Imprimé en Italie

Édition : Benjamin Ducher
Mise en page : Olivier Frenot

Éditions First-Gründ
60, rue Mazarine
75006 Paris

Tél. 0145496000
Fax 0145496001

E-mail : firstinfo@efirst.com
Site Internet : www.editionsfirst.fr

Sommaire

INTRODUCTION

Un Petit Livre à mettre dans votre poche pour faire face à toutes les situations de la vie de tous les jours.

Pour « mettre à jour » l'anglais que vous avez appris au cours de votre scolarité ; pour pouvoir communiquer dans un des nombreux pays de langue anglaise ; pour pouvoir parler à des étrangers en visite chez vous ou dans votre travail…
Vous recherchez un ouvrage facile à emporter partout ? Ce Petit Livre est fait pour vous.

Comment ça marche ?

Quatorze chapitres

Près de 800 expressions sont classées selon la situation dans laquelle vous vous trouvez : comment saluer quelqu'un que vous rencontrez, comment parler du temps qu'il fait, que dire en entrant dans un magasin – ou si vous devez consulter un médecin, comment

faire quand on est au restaurant, etc. Et puis, vous aurez peut-être besoin de rencontrer des collègues étrangers et de parler de votre travail.
Des petits encadrés vous apporteront des informations pratiques pour répondre à des besoins particuliers ou pour vous aider à choisir les bons mots.
Le Petit Livre est fait pour vous servir, chaque fois que vous en avez besoin.

Des annexes

Un petit rappel de l'essentiel des points de grammaire indispensables : formes verbales, pronoms et adjectifs possessifs, mots interrogatifs, nombres et, bien sûr, les verbes irréguliers qu'on ne peut ignorer.

Comment faire ?

Le sommaire vous donne la liste des situations avec le détail de chaque chapitre. Nous partons toujours du français pour donner la traduction en-dessous.
Les mots et phrases en anglais sont écrits en italiques pour bien les différencier du français. **Mettez ce Petit Livre dans votre poche ! Il est là pour vous servir à tout moment.**

Chapitre 1

•

POUR COMMENCER
FIRST THINGS FIRST

LES SALUTATIONS
GREETINGS

• Bonjour !
  Hi! / Hello!
  Good morning.
  Good afternoon.
• Bonsoir !
  Good evening.
• Comment allez-vous ?
— Très bien, merci.
  How are you?
  — I'm fine, thank you.
  How are you doing?
  — I'm okay. Thank.
• Et vous ?
  How about you?

• Ravi de vous rencontrer.
— Moi aussi.
    Nice to meet you.
    — Nice to meet you too.
• Je suis content de te rencontrer.
    It's good to see you.
• Enchanté de faire votre connaissance.
    How do you do?
• Cela fait des siècles qu'on ne vous a pas vu(e) !
    We haven't seen you for ages!
• Quoi de neuf ?
    What's up?

ENCHANTÉ !

Quand vous rencontrez quelqu'un pour la première fois, on vous dira *How do you do?* À cette fausse question, répondez par la même formule : *How do you do?*

BONJOUR MONSIEUR/BONJOUR MADAME

On a le choix entre une expression formelle, plutôt réservée au commerce ou aux relations hiérarchiques.
Good morning, Madam / Good morning, Sir!
Et une autre, plus courante et plus familière.
Good morning Mrs. Turner! / Good morning Mr. Jones.

FAIRE LES PRÉSENTATIONS
INTRODUCING PEOPLE

- Bonjour. Je suis Cindy (Bearns).
  Hi. I'm Cindy (Bearns).
- Mon ami, Jill.
  This is my friend, Jill.
- Bonjour Jill. Je suis Linda.
  Hi Jack. I'm Linda.
- Voici mon père, M. Bearns.
  This is my father, Mr. Bearns.
- Je voudrais vous présenter à mon meilleur ami.
  I'd like to introduce you to my best friend.

- Puis-je vous présenter Peter ?
  May I introduce Peter to you?

QUI PRÉSENTER ?

my brother (mon frère) / *my sister* (ma sœur) / *my teacher* (mon professeur) / *my friend* (mon ami(e)) / *my boss* (mon patron, ma patronne) / *my co-worker* (mon collègue), etc.

COORDONNÉES PERSONNELLES
PERSONAL DETAILS

- Comment vous appelez-vous ?

— Pierre Martin.

What's your name?

— My name is Pierre Martin.

- Je m'appelle Pierre Martin.
  I'm called Pierre Martin.
- Quel âge avez-vous ?

— J'ai 27 ans.

How old are you?

— I'm 27 (years old).

- Quelle est votre date de naissance ?
  When is your birthday?
  When were you born?
- Je suis né(e) le 5 novembre.
  I was born on November the 5th.
- Où habitez-vous ?
  Where do you live?
- D'où venez-vous ?
  Where are you from?
- Pouvez-vous me donner votre adresse ?
  Can you give me your address, please?
- Voici ma carte d'identité.
  Here's my ID (Identity Card).
- N'oubliez pas votre passeport.
  Don't forget you passport.
- Que faites-vous ?
  What do you do?
- Où travaillez-vous ?
  Where do you work?
- Que faites-vous dans la vie ?
  So what do you do with yourself?

QUESTIONS DE NOMS, IL Y A DE QUOI S'Y PERDRE !

Le prénom :
Christian name, first name, given name.
Le nom :
surname, last name.
Le nom de jeune fille :
maiden name, family name.
Le surnom :
nickname.

INVITER QUELQU'UN
INVITING SOMEONE

- Que faites-vous demain ?
  What are you doing tomorrow?
- Est-ce que cela vous ferait plaisir de venir dîner ?
  Would you like to come for dinner?
- Je voudrais vous inviter à déjeuner.
  I'd like to invite you to lunch.
- Et si on allait au cinéma ?
  How about going to the cinema?

- Voulez-vous que je vous accompagne ?
  Do you want me to go with you ?

ACCEPTER UNE INVITATION
ACCEPTING AN INVITATION

- Oui. Merci de m'inviter.
  Sure. Thank you for inviting me.
- Merci. Ça a l'air sympa.
  Thanks! That sounds like fun.
- C'est quand ?
  When is it?
- C'est quel jour ?
  What day is it?
- Cela commence / finit à quelle heure ?
  What time does it start / end?
- D'accord. Donnons-nous rendez-vous à 4 heures.
  OK. Let's meet at four o'clock.

REFUSER UNE INVITATION
REFUSING AN INVITATION

- Non merci.
  No, thank you.
- Je ne peux pas. Désolé(e).
  I can't. I'm sorry.
- Je suis désolé(e), mais je dois prendre mon train.
  I'm sorry, but I have to take my train.
- Merci. Mais j'ai un rendez-vous à cette heure-là.
  Thanks. But I have an appointment at that time.
- Je préférerais ne pas sortir ce soir.
  I'd rather not go out tonight.

ACCUEILLIR QUELQU'UN
WELCOMING SOMEBODY

- Bienvenue !
  Welcome!
- Bonjour. Entrez donc.
  Hello! Do come in!
- Vous êtes sûr(e) que vous ne voulez pas entrer ?
  Are you sure you wouldn't like to come in?

- C'est si gentil à vous de venir nous voir.
  So nice of you to come and visit us!
- Puis-je vous offrir un verre ?
  May I offer you a drink?

PRENDRE CONGÉ
TAKING LEAVE

- Maintenant, il faut que je parte.
  Now I've got to go.
- Pouvez-vous m'excuser, s'il vous plaît ?
Je dois partir.
  Would you excuse me, please? I have to go.
- Je suis ravi(e) de vous avoir rencontré.
  It was lovely meeting you.
- Je me suis bien amusé(e).
  I had a great time.
- Merci de m'avoir invité(e) (après une sortie).
  Thanks for asking me out.
- Bon retour !
  Have a safe trip back.
- Merci. Au revoir. Prends soin de toi.
  Thank you. Bye... Take care.

- Restons en contact.
  Let's keep in touch!
- Si vous revenez à Paris, faites-le moi savoir.
  If you come to Paris again, do let me know.
- Bonne fin de voyage.
  Enjoy the rest of your trip.

COMMENCER UNE CONVERSATION
STARTING A CONVERSATION

- Quel beau temps, n'est-ce pas ?
  Nice day, isn't it?
- Belle journée, n'est-ce pas ?
  Lovely day today, isn't it?
- Vous vous amusez bien ?
  Are you having a good time?
- Vous connaissez beaucoup de gens ici ?
  Do you know many people here?
- Qu'est-ce qu'il se passe ?
  What's happening? / What's going on?
- Vous êtes un ami de Mme Trady ?
  Are you a friend of Mrs. Tracy's?
- Comment la connaissez-vous ?
  How do you know her?

- Je vais chercher à boire. Je vous en prends ?
  I'm getting a drink. Can I get you one?
- Vous êtes déjà venu(e) ici ?
  Have you been here before?

S'EXCUSER
APOLOGIZING

- Excusez-moi. Savez-vous quelle heure il est ?
  Excuse me. Do you know what time it is?
- Désolé(e) de vous avoir fait attendre.
  Sorry to keep you waiting.
- Je suis vraiment désolé(e).
  I'm really sorry.
- Je vous prie de m'excuser pour mon retard.
  I apologize for being late.
- Excusez-moi de vous avoir marché sur le pied.
  I'm very sorry for stepping on your foot.
- Je vous demande pardon.
  I beg your pardon.

EXCUSE ME!

Une phrase à répéter sans modération. Utilisez *excuse me!* à tout propos – par exemple quand vous voulez poser une question à quelqu'un. Dans une situation plus formelle, vous pouvez dire *I beg your pardon* ; pour signifier que vous avez mal entendu.

Pour vous excuser de quelque chose que vous avez fait, dites *I am sorry* ou, plus formel, *I apologize.*

Chapitre 2

•

LES SENTIMENTS ET LES ÉMOTIONS
FEELINGS AND EMOTIONS

J'AIME... JE N'AIME PAS...
I LIKE... I DISLIKE...

- J'adore lire des romans policiers.
  I love reading detective novels.
- J'aime beaucoup sortir avec des amis.
  I enjoy going out with friends.
- Cela ne me dérange pas de faire le ménage.
  I don't mind doing the housework.
- Cela ne vous dérange pas que j'ouvre la fenêtre ?
  Do you mind if I open the window?
- Non. Cela ne me dérange pas.
  No, I don't mind.
- Je ne supporte pas ce genre de musique.
  I can't stand that kind of music.
- J'ai horreur de repasser.
  I hate / loathe ironing.
- Je n'ai pas envie de regarder la télé ce soir.
  I don't feel like watching TV tonight.

- Si on sortait à la place ?
  How about going out instead?
- Tu as envie d'aller au restaurant ?
  Do you feel like going to the restaurant?
- Auriez-vous envie d'aller au cinéma ce soir ?
  Would you fancy going to the cinema tonight?
- Je suis fou de basket, mais je ne supporte pas le hockey sur glace.
  I'm mad about basketball, but I can't bear ice hockey.

LES SOUHAITS
WISHING

- Bonne chance !
  Good luck!
- Bon anniversaire.
  Happy birthday.
- Je vais lui envoyer mes souhaits de bonne année.
  I'm going to send him New Year greetings.
- Tous mes vœux.
  Many happy returns.
- Tous nos souhaits de bonheur.
  All our best wishes for your future happiness.

- À vos souhaits !
  Bless you!
- Ce serait formidable si nous pouvions tous y aller.
  It would be wonderful if we could all go.
- Je donnerais n'importe quoi pour être là-bas !
  I'd give anything to be there now!
- Ah ! si j'étais millionnaire !
  I wish I were a millionaire!
- Si seulement il pouvait arrêter de pleuvoir !
  I wish it would stop raining!
- Si seulement il était là !
  If only he were here!
- J'aurais voulu que tu voies sa tête !
  I wish you could have seen her face!

ENCOURAGER
ENCOURAGING

- Super ! Félicitations.
  Good boy ! Congratulations.
- Vas-y, ma vieille. Tu vas y arriver.
  Go on, old girl! You'll do it!
- Allons. Allons. Ca va aller.
  There, there. Everything will be all right.

L'INDIFFÉRENCE
INDIFFERENCE

- Ça m'est égal.
  It's all the same to me.
- Je m'en fiche.
  I don't care.
- Comme tu veux. Ça ne me dérange pas.
  As you like. I don't mind.

LA COLÈRE
ANGER

- Je ne sais pas comment je fais pour me retenir… Fiche le camp !
  I don't know how I'm controlling myself…
  Get out of here!
- J'en ai marre de cette situation !
  I am fed up with that situation!
- Je t'avertis ! C'est la dernière fois.
  I'm warning you! It's the last time.
- Je suis désolé(e) mais je n'en peux plus.
  I'm sorry but I can't take it any more.

- On va examiner les choses calmement.
  We're going to examine the matter calmly.

L'ENTHOUSIASME
ENTHUSIASM

- Ça a l'air superbe !
  It looks great!
- Ça a l'air d'être une belle opportunité !
  That sounds like a wonderful opportunity!
- Ce serait vraiment super !
  That would be fantastic!
- Elle est tellement contente de sa voiture !
  She's so pleased with her car!
- Je suis passionné(e) de généalogie.
  I am passionate about genealogy.
- Je suis impatient(e) de voir ce que c'est.
  I am eager to see what it is.

Chapitre 3

•

LE TEMPS
TIME

DEMANDER L'HEURE
ASKING THE TIME

• Quelle heure est-il ?

What time is it? / What's the time?

• Avez-vous l'heure juste ?

Have you got the right time?

• Excusez-moi. Pouvez-vous me dire quelle heure il est ?

Excuse me. Could you tell me what time it is?

• À quelle heure pars-tu ?

What time are you leaving?

• À quelle heure allez-vous travailler ?

What time do you go to work?

• À quelle heure voulez-vous vous réveiller ?

What time do you want to get up?

• Êtes-vous à l'heure ?

Are you on time?

DIRE L'HEURE
TELLING THE TIME

- Il est onze heures.
  It's eleven o'clock.
- Il est onze heures dix.
  I's ten past eleven.
- Il est onze heures et quart.
  It's a quarter past eleven.
- Il est onze heures et demie.
  It's half past eleven.
- Il est midi moins vingt.
  It's twenty to twelve.
- Il est midi moins le quart.
  It's a quarter to twelve.
- Il est midi moins cinq.
  It's five to twelve.
- Il est l'heure de déjeuner.
  It's time for lunch.

LE TEMPS MILITAIRE ?

Seuls les militaires ont le système européen d'une horloge de 1 à 24, c'est pourquoi on appelle ce système *military time.*

Aux États-Unis comme en Grande-Bretagne, on distingue les heures du matin en ajoutant *a.m.* (pour *ante meridiem*) de celles de l'après-midi en ajoutant *p.m.* (*post meridiem*) :
Il est deux heures du matin.
It's 2 a.m.
Il est 14 heures.
It's 2 p.m.

LES HORAIRES ON SIMPLIFIE !

Les magasins ferment à 17 h 30.
The shops close at 5:30.
Mon train part à 16 h 22.
My train leaves at 4:22.

QUEL JOUR SOMMES-NOUS ?
WHAT'S THE DAY TODAY ?

- C'est arrivé quel jour ?
  On what day did it happen?
- Il est venu mercredi.
  He came on Wednesday.
- Je ne travaille pas le mercredi.
  I don't work on Wednesdays.
- Je ferai cela mardi prochain.
  I'll do that next Tuesday.

LES JOURS DE LA SEMAINE

Alors que nous commençons la semaine le lundi, les Britanniques la commencent le dimanche !

Dimanche, *Sunday* Lundi, *Monday*
Mardi, *Tuesday* Mercredi, *Wednesday*
Jeudi, *Thursday* Vendredi, *Friday*
Samedi, *Saturday*

En anglais, on met toujours une majuscule (*capital letter*) aux noms des jours.

DONNER LA DATE
GIVING THE DATE

- Quelle est votre date de naissance ?
  When were you born?
  What is your date of birth?
- Je suis né(e) le 5 juillet.
  I was born on the fifth of July.
- Quand est votre anniversaire ?
  When is your birthday?

LES MOIS DE L'ANNÉE

Comme pour les jours, on met toujours une majuscule aux noms des mois.

Janvier, *January* — Février, *February*
Mars, *March* — Avril, *April*
Mai, *May* — Juin, *June*
Juillet, *July* — Août, *August*
Septembre, *September* — Novembre, *November*
Décembre, *December*

ÉCRIRE LA DATE

Les Américains indiquent toujours le mois avant le jour. Par exemple, on se souvient de la date du 11 septembre de cette manière : *9/11*. Attention, on introduit la date avec la préposition *on*:

The towers fell on 9/11 2001.

Les tours sont tombées le 11 septembre 2001.

Grande-Bretagne	États-Unis
the ninth of March, 2011	March the ninth, 2011
9th March 2011	March 9th, 2011
9 March 2011	March 9, 2011
9/3/2011	3/9/2011

SITUER DANS LE TEMPS
LOCATING IN TIME

- Nous nous sommes rencontrés hier.
  We met yesterday.

• Je viendrai demain à quatre heures.
I'll come tomorrow at four.

• Tu ne pourrais pas venir plus tôt ?
Couldn't you come earlier?

• Quand es-tu allé(e) à Londres pour la dernière fois ?
When did you last go to London?

• Il y a combien de temps que tu es allé(e) à Londres ?
How long ago did you go to London?

• J'y suis allé(e) il y a très longtemps.
I went there a very long time ago.

• J'ai fait cela, il y a deux ans.
I did that two years ago.

• Ceci va continuer dans les cinq prochaines années.
This will continue in the next five years.

Chapitre 4

•

EN VILLE
IN THE CITY

DEMANDER SON CHEMIN
ASKING ONE'S WAY

• Où est la gare ?
Where is the station?
• Où sont les magasins ?
Where are the shops?
• Excusez-moi. Y a-t-il une poste dans les environs ?
Excuse me. Is there a post office around there?
• Comment puis-je trouver le supermarché le plus proche ?
How can I get to the nearest supermarket?
• Combien de temps cela prend-il d'aller à la gare à pied ?
How long does it take to walk to the station?

• Pourriez-vous me montrer le chemin pour aller à l'arrêt de bus ?

Could you please show me the way to the bus stop?

• Pardon. À quelle distance est la gare ?

Excuse me. How far is it to the station?

• Auriez-vous la gentillesse de me montrer où nous sommes sur le plan ?

Would you mind showing me where we are on the map?

• Où est la banque la plus proche ?

Where is the nearest bank?

• Y a-t-il un café pas loin ?

Is there a coffee shop near here?

DONNER DES INDICATIONS
GIVING DIRECTIONS

• Allez tout droit.

Go straight on.

• Tournez à gauche dans Oxford Street.

Turn left into Oxford Street.

• Descendez la rue, tout droit.

Go straight down this street.

• C'est du côté gauche.

It's on the left-hand side.

• Dépassez l'église. Vous verrez le parc sur votre droite.

Go past the church. You'll see the park on your right.

• Suivez les panneaux.

Follow the signs.

• Allez tout droit jusqu'au feu rouge.

Go straight on until you come to the traffic lights.

• Traversez la rue.

Cross the street.

• Puis prenez la deuxième route à droite.

Then take the second street on the right.

• Au carrefour, tournez à droite.

At the crossroads, make a right.

• Vous êtes dans la mauvaise direction. Vous devez retourner d'où vous venez.

You are walking in the wrong direction. You must go back where you came from.

LOCALISER MAGASINS ET LIEUX PUBLICS
LOCATING SHOPS AND PUBLIC PLACES

- La Poste est là-bas, tout droit.
  The post office is straight ahead.
- La librairie est au coin de la rue.
  The bookshop is around the corner.
- Elle est entre la boulangerie et la banque.
  It's between the bakery and the bank.
- Il y a un bureau de tabac de l'autre côté de la rue.
  There's a tobacconist across the street.
- Il est à côté d'un magasin de chaussures.
  It is next to a shoe shop.
- C'est au coin de Main Street et de Pine Street.
  It's on the corner of Main Street and Pine Street.
- Le supermarché est en face de l'église.
  The supermarket is opposite the church.
- Il est dans Main Street.
  It's on Main Street.
- C'est à deux miles du centre-ville.
  It is two miles from the town centre.
- Je vais y aller en bus / en train / en métro.
  I'll go there by bus / train / with the underground.

• Je vais y aller en vélo.

I'll ride there.

• Je ne sais pas. Je n'habite pas ici.

I don't know. I don't live around here.

PRENDRE LE BUS
TAKING THE BUS

• C'est trop loin pour y aller à pied. Prenons l'autobus.

It's too far to walk. Let's take the bus.

• Je vais vérifier les horaires.

I'm going to check the timetable.

• À quelle heure est le prochain bus pour Charing Cross ?

What time is the next bus to Charing Cross?

• Quand vous monterez dans l'autobus, payez votre billet ou montrez votre carte d'abonnement.

When you get on the bus, pay the fare or show your pass.

• Sonnez la cloche pour signaler que vous voulez descendre.

Ring the bell to signal you want to get off.

- Voici l'arrêt de bus. Il y a la queue.
  Here is the bus stop. There's a queue.
- Nous n'avons que deux minutes d'attente.
  We'll have only to wait for two minutes.
- Il y a un distributeur de billets à l'arrêt de bus.
  There is a ticket machine at the bus stop.
- Il y a des bus fréquents pour aller et revenir du centre-ville tout au long des rues Cowler et Ickley.
  There are frequent busses to and from the city centre along Cowley and Ickley Streets.
- Les bus touristiques à impériale de Londres s'arrêtent à côté de Marble Arch, près de l'hôtel.
  London open-top tour busses stop next to Marble Arch near to the hotel.

DES BUS LÉGENDAIRES

Les bus rouges à deux étages, *double-decker busses*, sont des symboles londoniens, au même titre que les cabines téléphoniques, les boîtes aux lettres rouges ou les chapeaux melons. Ils sont malheureusement tout autant en voie de disparition.
Presque aussi célèbres sont les bus de ramassage scolaire américains, couleur jaune vif.

PRENDRE LE MÉTRO À LONDRES
USING THE LONDON UNDERGROUND

• Achetez votre ticket à un guichet ou à un distributeur automatique.

Buy your ticket at a staffed ticket office, or at a ticket machine.

• Sachez que certaines machines n'acceptent que les pièces.

Be aware that some of the machines accept only coins.

• D'autres machines acceptent les billets et les cartes bancaires.

Other machines accept banknotes and credit cards.

• Certaines machines rendent la monnaie.

Some machines can provide change.

• Certaines machines n'acceptent pas de liquide.

Some machines don't accept cash.

• Il est interdit de fumer partout dans le métro. L'amende est très lourde !

Smoking is illegal anywhere on the subway system. The penalty is a very stiff fine!

LES TARIFS

Le métro londonien est très cher comparé au métro parisien, surtout si on achète un ticket à l'unité. En revanche, un trajet de zone 1 qui coûte £4 si on l'achète à l'unité ne vous coûtera que £1,50 si vous utilisez *the Oyster Card* (carte magnétique, équivalent du Navigo parisien).

Chapitre 5

•

AU RESTAURANT
AT THE RESTAURANT

ARRIVER AU RESTAURANT
ARRIVING AT THE RESTAURANT

- Avez-vous réservé ?
  Do you have a reservation?
- J'ai réservé une table pour six.
  We have reserved a table for six.
- Nous n'avons pas réservé.
  We don't have a reservation.
- C'est pour combien de personnes ?
  How many people?
- Pour quatre personnes ?
  A party of four?
- Une table pour deux ?
  A table for two?
- Désolé, mais nous sommes complets.
  Sorry but we are full.
- Il y a un quart d'heure d'attente.
  There's a fifteen-minute wait.

• Bonjour, je suis Kate, c'est moi qui m'occuperai de vous ce soir.

Hi, my name's Kate, I'll be your waiter this evening.

• Voulez-vous commencer par un apéritif ?

Would you like to order something to drink first?

• Voulez-vous boire quelque chose pendant que vous regardez le menu ?

Would you like to order something to drink while you are looking at the menu?

• Puis-je vous apporter quelque chose à boire ?

Can I get you something to drink?

• Voici le menu.

Here's the menu.

• Je suis à vous dans quelques minutes.

I'll be with you in a few minutes.

• Je reviens prendre votre commande dans quelques minutes.

I'll come back to take your order in a few minutes.

VOUS AVEZ FAIM ? DITES-LE !

• J'ai faim.
I'm hungry.
• Je meurs de faim.
I'm starving.

PASSER UNE COMMANDE
ORDERING

• Puis-je prendre votre commande ?
May I take your order?
• Vous êtes prêts à passer votre commande ?
Are you ready to order?
• Nous ne sommes pas encore prêts.
We are not ready to order yet.
• Je n'ai pas encore fait mon choix.
I haven't decided yet.
• Nous avons besoin d'un peu plus de temps.
We need a little more time to decide.
• Pouvons-nous commander ?
Can you take our orders now?

- Quel est le plat du jour ?
  What's the special of the day?
  What's today's special?
- Que nous recommandez-vous ?
  What do you recommend?
- Y a-t-il des frites avec le steak ?
  Does the steak come with French fries?
- Quelle est la spécialité de la maison ?
  Is there a house specialty?
- Nous prendrons le menu à 25 euros.
  We'll take the €25 set menu.
- En entrée, je voudrais une salade de tomates.
  To start, I would like a tomato salad.
- En plat principal, je voudrais un bifteck.
  For the main course, I would like a steak.
- En dessert, je prendrai une tarte aux pommes.
  For dessert, I'll have apple tart.
- En boisson, je prendrai du vin blanc.
  To drink, I would like some white wine.
- Comment désirez-vous votre steak ?
  How would you like your steak?
- Quelle sauce souhaitez-vous avec votre salade ?
  What dressing would you like for your salad?
- Quels parfums avez-vous ?
  What flavours do you have?

- Voulez-vous commander du vin ?
  Would you like to order some wine?
- Puis-je avoir une bouteille d'eau s'il vous plaît ?
  May I have a bottle of water, please?
- Désirez-vous autre chose ?
  Would you care for anything else?

MANGER AU PUB

En Grande-Bretagne, il est courant de se restaurer dans les pubs. Attention cependant, dans de nombreux cas, vous devrez aller directement passer votre commande au bar.

SATISFAIT OU PAS ?
SATISFIED OR NOT?

- Ça a l'air délicieux.
  It looks delicious.
- Ça sent bon.
  The food smells good.
- Ça embaume ici !
  It smells like heaven here!

- Ce curry est très bon.
  This curry is really tasty.
- Huumm, c'est bon !
  Huumm, it's yummy.
- Le steak a l'air trop cuit.
  The steak looks over-cooked.
- La viande est dure et sèche.
  The meat is tough and dry.
- La soupe est un peu trop salée.
  The soup is a bit too salty.
- Ce plat est un peu fade.
  This dish is a bit bland.
- C'est infect.
  It is really disgusting.

LE DEGRÉ DE CUISSON

à point *medium*
bien cuit *well-done*
bouilli *boiled*
grillé *grilled*
saignant *rare*

SE PLAINDRE
COMPLAINING

- Quand notre table sera-t-elle prête ?
  When will our table be ready?
- Cela fait plus d'une demi-heure que nous attendons.
  We've been waiting for over thirty minutes.
- J'ai demandé un verre d'eau il y a un moment.
  I asked for a glass of water quite a while ago.
- Je veux parler au directeur.
  I'd like to speak with your manager.
- Excusez-moi, la soupe est froide.
  Excuse me, this soup is cold.
- C'est trop cuit.
  This meat is overcooked.
- La glace a un drôle de goût
  This ice cream tastes funny.
- La viande n'est pas fraîche.
  This meat is not fresh.
- Le steak est saignant. J'avais demandé bien cuit.
  This steak is rare. I want it well-done.
- Je ne peux pas manger ça, c'est trop salé !
  I can't eat that. It's too salty!

- Je n'ai pas commandé ça.
  I didn't order that.

RÉGLER L'ADDITION
PAYING THE BILL

- J'ai fini.
  I'm finished.
- Pourrais-je avoir l'addition, s'il vous plaît ?
  Could I get the bill, please?
- L'addition, s'il vous plaît.
  The bill, please.
- Votre repas vous a plu ?
  Did you enjoy your meal?
- Le service est-il compris ?
  Is service included?
- Laisser un pourboire est obligatoire dans les restaurants aux États-Unis.
  Tipping is mandatory in US restaurants.
- Le café est offert par la maison.
  Coffee is on the house.
- Il était très serviable.
  He was very helpful.

- On a laissé 1 livre de pourboire à la serveuse.
  We tipped £1 to the waitress.
- Il y a un problème avec l'addition.
  There's something wrong with our bill.
- On dirait qu'il y a une erreur dans l'addition.
  There seems to be a mistake on this bill.

SERVICE NON COMPRIS/*SERVICE NOT INCLUDED*

En Grande-Bretagne comme aux États-Unis, le service n'est généralement pas inclus dans l'addition. Il est de tradition d'ajouter environ 15 % à la note pour le service.

AU CAFÉ
AT THE CAFE

- Qu'est-ce que vous voulez boire ?
  What would you like to drink?
- Garçon !
  Waiter!
- Un café s'il vous plaît
  A coffee please.

• Vous voulez commander quelque chose à manger ?

Would you like to order something to eat?

• Qu'est-ce que vous avez comme sandwiches ?

What types of sandwiches do you have?

• Servez-vous des boissons alcoolisées ?

Do you serve alcohol?

• Les enfants ne sont pas admis dans le pub.

Children are not allowed in the pub.

CAFE OU COFFEE ?

Ne confondez pas la boisson, *coffee*, et le lieu où vous pouvez le boire, *cafe*.

CAFE, PUB OU BAR ?

La différence est difficile à faire. En règle générale, un *bar* vend de l'alcool, et les enfants n'y sont pas admis.

Dans les *pubs* (abréviation de *public house*), il peut y avoir une pièce réservée aux familles accompagnées d'enfants (*family room*) et il est possible d'y manger. Quant aux *cafes*, ils ne servent que des boissons non alcoolisées.

Chapitre 6

•

L'ARGENT
MONEY

À LA BANQUE
AT THE BANK

- Où est la banque la plus proche ?
  Where is the closest bank?
- Pour changer de l'argent, c'est à quel guichet ?
  Which counter do I go to to change money?
- Je voudrais changer des chèques de voyage.
  I would like to cash some traveller's cheques.
- Je veux retirer de l'argent.
  I want to draw some money out.
- Je voudrais effectuer un virement.
  I'd like to carry out a bank transfer.
- Où faut-il signer ?
  Where do I have to sign?
- Je voudrais encaisser ces chèques de voyage.
  I'd like to cash traveler's checks.
- Je voudrais encaisser ce chèque.
  I'd like to cash this check.

- Je voudrais ouvrir un compte courant.
  I'd like to open a savings account.
- Complétez ce document, je vous prie.
  Fill in this form, please.
- La maison est hypothéquée à la banque.
  The house is mortgaged to the bank.
- Il a des dettes.
  He is in debt.
- Il a emprunté de l'argent à ses parents.
  He has borrowed money from his parents.
- Ses parents lui ont prêté de l'argent.
  His parents have lent him some money.
- Il doit de l'argent à ses parents.
  He owes money to his parents.
- Je vais devoir contracter un prêt.
  I'll have to take out a loan.
- Vous pouvez payer par mensualités.
  You can pay by installments.
- Investir dans quelque chose.
  Invest in something.

L'EURO

Le Royaume-Uni ne fait pas partie de la zone euro. La monnaie en vigueur y est toujours la livre sterling (£). Certains commerçants accepteront cependant tout de même que vous régliez en euros, mais à un taux de change peu avantageux, et à condition de vous rendre la monnaie en livres.

LES DISTRIBUTEURS DE BILLETS
CASH MACHINES

- Est-ce qu'il y a un distributeur près d'ici ?
  Is there a cash machine near here?
- Il y a un distributeur automatique là-bas.
  There is an ATM (Automatic Teller Machine) over there.
- Insérer votre carte.
  Insert card here.
- Annulez.
  Cancel.

- Effacez.
  Clear.
- Validez.
  Enter.
- Entrez votre code.
  Insert your pin code.
- Effectuer un retrait
  Make a withdrawal
- Voulez-vous un reçu ?
  Do you want a receipt?
- Le distributeur a avalé ma carte.
  The ATM has eaten my card.
- J'ai perdu ma carte.
  I have lost my card.
- On m'a volé ma carte.
  Ma carte has been stolen.

LES RETRAITS

Attention, en Angleterre, tous les services bancaires sont payants. Si vous retirez de l'argent, la banque vous prélève une commission.

LE BUREAU DE CHANGE
MONEY EXCHANGE

- Où puis-je trouver un bureau de change ?
  Where is there a money exchange?
- Où puis-je changer de l'argent ?
  Where can I change money?
- Quel est le taux de change de la livre sterling ?
  What is the exchange rate of pounds sterling?
- Je voudrais changer des dollars en euros.
  I'd like to change dollars into euros.

Chapitre 7

•

LES COURSES
SHOPPING

TROUVER LE BON MAGASIN
FINDING THE SHOP YOU NEED

- Où est la boulangerie ?
  Where is the baker's?
- Est-ce qu'il y a une pharmacie dans le coin ?
  Is there a chemist's in the area?
- Où est le centre commercial le plus proche ?
  Where's the nearest shopping centre?
- Pour aller à la pharmacie, s'il vous plaît ?
  How do I get to the chemist's, please?
- Y a-t-il une librarie près d'ici ?
  Is there a book shop near here?
- C'est tout près.
  It's very near.
- C'est assez loin.
  It's a fair way away.
- C'est à cinq minutes à pied environ.
  It's about five minutes on foot.

LES MAGASINS
SHOPS

- Où est la boulangerie ?
  Where's the baker's?
- Où est la banque ?
  Where's the bank?
- Où est la librairie ?
  Where's the bookshop?
- Où est la boucherie ?
  Where's the butcher's ?
- Où est le pressing ?
  Where's the dry cleaner's?
- Où est la poissonnerie ?
  Where's the fishmonger's?
- Où est le marchand de fruits et légumes ?
  Where's the greengrocer's?
- Où est l'épicerie ?
  Where's the grocer's?
- Où est la quincaillerie ?
  Where's the hardware store?
- Où est le fleuriste ?
  Where's the florist's?
- Où est la papeterie ?
  Where's the stationer's?

- Où est le marchand de tabac ?
  Where's the tobacconist's?

NE PAS CONFONDRE

Le mot *library* renvoie à la bibliothèque. La librairie se dit *bookshop*.

LES HORAIRES D'OUVERTURE
OPENING TIMES

- À quelle heure ouvrez-vous ?
  What time do you open?
- Nous sommes ouverts de 9 heures à 18 heures, du lundi au vendredi.
  We're open from 9 a.m. till 6 p.m., Monday to Friday.
- Nous sommes ouverts toute la journée.
  We are open all day.
- À quelle heure ferme le magasin ?
  What time does the shop close?
- Êtes-vous ouverts le dimanche ?
  Are you open on Sundays?

• Nous sommes ouverts toute la journée, sept jours sur sept.

We're open twenty-four / seven (twenty-four hours a day / seven days a week).

• Nous fermons pour le déjeuner.

We're closed at lunchtime.

S'ORIENTER DANS UN MAGASIN
FINDING SOMETHING IN A STORE

• Où est le rayon « hommes » ?

Where's the section for men's wear?

• À quel étage sont les vêtements pour enfants ?

What floor are children's clothes on?

• Où puis-je trouver l'électroménager ?

Where can I find electronic goods?

• Est-ce que vous vendez des piles ?

Do you sell batteries here?

• Je cherche de la farine.

I am looking for flour.

• Pourriez-vous m'indiquer le rayon des surgelés ?

Could you tell me where the frozen food section is?

- Avez-vous cet article en stock ?
  Do you have this item in stock?

ENTRER DANS UN MAGASIN
ENTERING A STORE

- Vous désirez ?
  Can I help you?
- Puis-je vous être utile ?
  Can I help you with something?
- Que puis-je faire pour vous ?
  What can I do for you?
- Excusez-moi, je peux vous demander quelque chose ?
  Excuse me. Can I ask you something?
- Puis-je faire quelque chose pour vous ?
  Is there something I can help you with?
- Je regarde seulement, mais merci à vous.
  I'm just browsing. Thanks anyway.
- On peut regarder ?
  Can we have a look around?
- Quelqu'un s'occupe de vous ?
  Are you being served?
  Is someone waiting on you?

- Vous cherchez quelque chose de particulier ?
  Are you looking for anything in particular?
- Si vous avez besoin d'aide, n'hésitez pas.
  If you need me, just let me know.

SE RENSEIGNER SUR LES PRIX
ASKING ABOUT PRICES

- Combien coûte ce miroir ?
  How much is this mirror?
- Celui-là est à 5 livres.
  That one is £5.
- Ça dépasse mon budget.
  It's a little over my budget.
- Auriez-vous quelque chose de moins onéreux ?
  Would you have something less pricey?
- C'est trop cher.
  That's too expensive.
- Je n'ai pas les moyens.
  I can't afford it.
- Je ne suis pas intéressé(e).
  I'm not interested.
- OK, je vais prendre celui-là.
  OK, I'll take this one.

- Dans quel prix ?
  Around what price? / In what price range?

ÉVALUER UN PRIX

prix bas	*low prices*
hors de prix	*exorbitant*
à prix réduit	*reduced*
à prix bas	*low-priced*
cher	*expensive*
bon marché	*cheap, reasonable*
haut de gamme	*top of the range*

À LA CAISSE
AT THE CHECKOUT

- Réglez à la caisse.
  Please pay at the counter.
- Cette caisse est fermée.
  This counter is closed.
- Vous faites la queue ?
  Are you in the queue?
- Personne suivante, s'il vous plaît !
  Next, please!

• Pourrais-je avoir un ticket de caisse ?
Could I have a receipt?
• Est-ce que vous avez une carte de fidélité ?
Do you have a loyalty card?
• Vous voulez un sac ?
Would you like a bag?
• Est-ce qu'il est garanti ?
Does it have a warranty?
Does it come with a guarantee?
• Il est garanti un an.
It comes with a one-year guarantee.
• C'est pour offrir.
It's for a present.
• Pouvez-vous me faire un paquet cadeau, s'il vous plaît ?
Can you gift-wrap it for me, please?

LES MOYENS DE PAIEMENT
MEANS OF PAYMENT

• Vous payez comment ?
How would you like to pay for this?
• Vous payez au comptant ou à crédit ?
Will that be cash or credit?

- Ça fera 25 dollars.
  That comes to $25.
- Voilà 30 livres.
  Here's £30.00.
- Est-ce que vous acceptez les cartes ?
  Do you take credit cards?
- Il faut la glisser.
  You need to swipe it.
- Puis-je payer par chèque ?
  Can I pay by cheque?
- Je n'ai qu'un billet de 20 livres.
  I only have a 20-pound note.
- Je n'ai pas grand-chose sur moi.
  I don't have much money on me.
- Je vais payer en liquide / par carte.
  I'll pay in cash / by card.
- On n'accepte pas les cartes étrangères.
  We don't take foreign cards.
- Saisissez votre code, s'il vous plaît.
  Enter your PIN number, please.
  (PIN = Personal Identification Number)
- Vous pouvez retirer votre carte.
  You can remove your card.
- Voici votre monnaie.
  Here is your change.

- Gardez la monnaie.
  You can keep the change.
- Ne perdez pas le ticket de caisse !
  Don't lose your receipt!

ATTENTION AUX FAUX AMIS...

Ne confondez pas :
I have no money. Je n'ai pas d'argent.
I have no change. Je n'ai pas de monnaie.

LES SOLDES
SALES

- Ce produit est-il soldé ?
  Is this item in the sale?
- Il ne peut être ni repris ni échangé.
  There are no refunds or exchanges.
- Offre spéciale.
  Special offer.
- Vous me faites une petite réduction ?
  Can you give me a little discount?
- Un produit offert pour un acheté.
  Buy one get one free.

• Nous vous proposons un crédit gratuit de six mois sans acompte.
We are offering six months free credit with no deposit.

LE SERVICE APRÈS-VENTE
AFTER-SALES SERVICE

• Quelque chose ne va pas avec ma montre.
There's something wrong with my watch.
• Combien de temps cela va-t-il prendre ?
How long will it take?
• Je peux vous le faire tout de suite.
I can do it straight away.
• Ce sera prêt d'ici demain.
It'll be ready by tomorrow.
• Vous allez pouvoir le réparer ?
Will you be able to repair it?
• Nous ne pouvons pas le faire sur place.
We can't do it here.
• Nous allons le renvoyer au fabricant.
We'll send it back to the manufacturers
• Ça ne vaut pas le coup de faire la réparation.
It's not worth repairing

- Je voudrais rapporter ceci.
  I'd like to return this.
- Je voudrais échanger ceci pour une autre taille.
  I'd like to change this for a different size.
- Pourrais-je être remboursé(e) ?
  Could I have a refund
- Avez-vous votre facture ?
  Have you got the receipt
- Pourrais-je parler au responsable ?
  Could I speak to the manager
- Est-ce que vous faites les retouches ?
  Do you do alterations?
- Pourriez-vous raccourcir / rallonger ce pantalon de deux centimètres ?
  Could you take these trousers up / down one inch?

AU CENTIMÈTRE PRÈS

1 *inch* : un peu plus de 2,5 centimètres.

QUITTER LE MAGASIN
LEAVING THE STORE

- Vous avez trouvé tout ce qu'il vous fallait ?
  Did you find everything you needed?
- Ce sera tout pour aujourd'hui ?
  Will that be all for today?
- Il vous fallait autre chose ?
  Anything else?
- Vous ne trouverez pas mieux ailleurs.
  You'll never find better quality anywhere.

À L'ÉPICERIE
AT THE GROCER'S

- Ce n'est pas ce que je cherche.
  It's not what I'm looking for.
- Vous en voulez combien ?
  How much would you like?
  How many would you like?

HOW MUCH OU HOW MANY ?

Pour interroger sur une quantité indénombrable, on utilise le pronom interrogatif *how much.*
Pour interroger sur un nombre, on utilise *how many.*

- Quelle quantité de fromage désirez-vous ?
  How much cheese do you want?
- Combien d'oranges désirez-vous ?
  How many oranges do you want?

LES POIDS EN ANGLETERRE

1 *ounce* (oz) = ± 30 grammes
1 *pound* (lb) = ± 450 grammes
1 *stone* (st) = ± 6 kilos

LES QUANTITÉS

- Un morceau de gâteau.
A piece of cake.
- Une tranche de jambon.
A slice of ham.
- Un kilo de pêches.
A kilo of peaches.
- Une boîte de thon.
A tin of tuna.
- Un paquet de biscuits.
A packet of biscuits.

À LA POSTE
AT THE POST OFFICE

- Est-ce que le bureau de poste est ouvert demain ?
  Is the post office open tomorrow?
- C'est combien pour envoyer une lettre en France?
  How much is it to send a letter to France?
- Trois timbres à 40 pence, s'il vous plaît.
  Three 40p stamps, please.

• Où est la boîte aux lettre?
Where is the post box?

• La prochaine levée est à quelle heure?
What time is the next collection?

• Voulez-vous me peser ce colis, s'il vous plaît?
Will you weigh this parcel for me, please?

• Voulez-vous l'envoyer par avion ?
Do you want to send it by airmail?

• En recommandé avec accusé de réception.
Registered with recorded delivery.

Chapitre 8

•

LES VÊTEMENTS
CLOTHES

S'HABILLER
GETTING DRESSED

• Va t'habiller.

Go and get dressed.

• Je vais me déshabiller

I'm going to undress / get undressed.

• Je me suis changé(e) ; j'ai mis des vêtements plus confortables.

I changed out of my clothes into more comfortable ones.

• Elle est habillée en noir.

She is dressed in black.

• Il porte un manteau vert.

He is wearing a green coat.

NE PAS CONFONDRE

Wearing a coat signifie « porter un manteau sur soi » et *holding a coat* veut dire « porter un manteau sous le bras ».
Getting dressed indique simplement que vous enfilez un vêtement, et *dressing up* signifie que vous avez fait des efforts vestimentaires.

DANS UN MAGASIN DE VÊTEMENTS
IN A CLOTHES SHOP

- Puis-je vous aider ?
  Can I help you?
- Je regarde seulement merci.
  I'm only browsing thanks.
- Est-ce que je peux l'essayer, s'il vous plaît ?
  Can I try it on, please?
- Y a-t-il un endroit où je pourrais essayer ?
  Is there somewhere I can try this on?
- Les cabines d'essayage sont par là.
  The changing rooms are over there.

- J'ai exactement ce qu'il vous faut.
  I've got exactly what you're looking for.
- Est-ce que ceci est en solde ?
  Is this reduced?
- Je suis désolé(e), cet article est épuisé.
  I'm sorry, this item is out of stock.
- Cet article n'existe plus qu'en une seule couleur,
  There is only one color left for this item.
- Je suis désolé(e), nous ne faisons plus cet article.
  I'm sorry, we don't carry this item anymore.
- Puis-je vous suggérer autre chose à la place ?
  May I suggest something else instead?
- Faites-vous les retouches ?
  Do you do alterations?
- Cette jupe a besoin d'être élargie.
  This skirt needs letting out.
- Je voudrais raccourcir cette jupe.
  I'd like to take up this shirt.
- Peut-on se faire rembourser ?
  Do you have a refund policy?

DANS LA CABINE D'ESSAYAGE
IN THE FITTING ROOM

• Ça vous va bien. Ce n'est ni trop grand ni trop petit.

This really fits you. It's neither too big nor too small.

• Ça vous va bien. C'est assorti à la couleur de vos yeux.

This suits you really well. It matches the colour of your eyes.

• Ce chemisier vous va à ravir!

That shirt looks really nice on you!

• Vous êtes très belle avec cette robe.

You look great in that dress.

• Vous êtes vraiment très élégant dans ce costume.

You look really smart in this suit, sir.

• Le bleu vous va si bien !

Blue is your colour!

• Ce pull-over ne me va pas.

This jumper doesn't fit me.

• C'est trop long / court.

It's too long / short.

• C'est trop serré / large.

It's too tight / loose.

- Voulez-vous quelque chose pour aller avec votre chemisier ?
  Do you need anything to go with your shirt?
- Je ne l'ai pas essayé.
  I haven't tried it on.

CHOISIR LA BONNE TAILLLE
CHOOSING THE RIGHT SIZE

- Quelle taille faites-vous ?
  What is your dress size?
- Quelles tailles avez-vous ?
  What sizes do you have?
- Je fais du 38.
  My dress size is 38.
- Avez-vous ceci dans une taille plus grande ?
  Do you have this in a larger size?
- Est-ce que vous avez cette jupe en bleu ?
  Do you have this skirt in blue?
- Ce soutien-gorge est trop petit / trop grand.
  This bra is too small / too large.
- J'ai besoin de connaître vos mensurations.
  I need to know your measurement.

- Quel est votre tour de tête ?

  What is your head measurement?

VOS MENSURATIONS

- Tour de tête

Head measurement

- Encolure

Collar size

- Tour de poitrine

Bust measurement

- Tour de poitrine

Chest measurement

- Tour de taille

Waist measurement

- Tour de hanche

Hip measurement

LES TAILLES DE VÊTEMENTS (FEMMES)

France	Royaume-Uni	États-Unis
34	6	4
36	8	6
38	10	8
40	12	10
42	14	12
44	16	14
46	18	16

LES MOTIFS
PATTERNS

- Je cherche une jupe bleue.
  I'm looking for a blue skirt.
- Avez-vous une robe sans manches ?
  Do you have a sleeveless dress?

- J'ai besoin d'un chemisier vert.
  I need a green blouse.
- C'est très tape-à-l'œil / voyant.
  It's very gaudy.
- C'est une robe rouge à fleurs.
  It is a flowery red dress.
- Je n'aime pas les chemises à rayures.
  I don't like stripped shirts.
- Son sac à main est assorti à ses chaussures.
  Her handbag matches her shoes.

LES MOTIFS

uni	*plain*
imprimé	*printed*
brodé	*embroidered*
à carreaux	*checked*
à fleurs	*flowered*
plissé	*pleated*
à pois	*spotted*
à rayures	*striped*

LES STYLES
STYLES

- Il est très élégant.
  He is very smart.
- Tenue correcte exigée.
  Formal outfit.
- Il ne porte que des costumes sur mesure.
  He only wears made-to-measure suits.
- Elle s'est acheté une robe de soirée.
  She has bought an evening dress.
- Le code vestimentaire est important ici.
  Dress code is important here.
- Cette robe est trop décolletée.
  This dress is too low-cut.
- Je préfère m'habiller de façon décontractée.
  I prefer wearing casual clothes.
- Ce pantalon est complètement démodé.
  These trousers are totally old fashioned.
- J'adore les défilés de mode haute couture.
  I love haute couture fashion shows.
- Ils viennent de sortir leur collection d'hiver.
  They have just presented their winter collection.

LES CHAUSSURES
SHOES

- Ses chaussures sont devenues trop petites.
  He has grown out of his shoes.
- Quelle pointure faites-vous ?
  What is your shoe size?
- Vous pouvez retirer vos chaussures.
  You can take off your shoes.
- Mets donc tes chaussons !
  Put on your slippers!

LES DIFFÉRENTES CHAUSSURES

baskets	*running shoes*
escarpins	*stilettos*
chaussons	*slippers*
bottes	*boots*
sandales	*sandals*
mocassins	*flat shoes*

LES TAILLES DE CHAUSSURES

France	Royaume-Uni	États-Unis
35	2½	5
36	3½	6
37½	4½	7
38½	5½	8
40	6½	9
42	7½	10
44	9½	12

Chapitre 9

•

LES VOYAGES
TRAVELS

PARLER DE VACANCES
HOLIDAY TALK

• Êtes-vous déjà allé à l'étranger ?

Have you been abroad?

• Nous avons l'intention d'aller en Floride aux prochaines vacances.

We're planning on going to Florida for our next vacation.

• Combien de temps y resterez-vous ?

How long will you stay?

• Quel a été votre meilleur voyage ?

What was your best trip?

• Préférez-vous voyager en voiture ou en avion ?

Do you prefer traveling by car or by plane?

• Avez-vous déjà fait de l'auto-stop ?

Have you ever hitchhiked?

• Nous avons pris un circuit organisé.

We took a package tour.

• Combien de bagages emportez-vous habituellement?

How much luggage do you usually carry?

• Aimeriez-vous faire une croisière ?

Would you like to take a cruise?

LES MOTS DU VOYAGE

• *Trip* pour un déplacement conséquent dû à des motifs importants.

For our wedding anniversary, we went on a trip to Venice.

Pour notre anniversaire de mariage, nous avons fait un voyage à Venise.

• *Journey* pour un déplacement en général court et sans importance.

Did you have a nice journey?

As-tu fait bon voyage ?

• *Travel*, un terme général pour parler des déplacements.

This agency sells interesting travels to Spain.

Cette agence vend des voyages très intéressants pour l'Espagne.

VOYAGER EN AVION
TRAVELLING BY PLANE

• À quelle heure part le prochain vol pour Londres ?

When does the next plane for London leave?

• Y a-t-il un vol pour New York ce soir ?

Is there a flight to New York this evening?

• Est-ce que l'avion partira à l'heure ?

Is the plane due to leave on time?

• Le vol est retardé.

The flight has been delayed.

• Le vol 1456 en provenance de Chicago est à l'heure.

The 1456 flight from Chicago is on time.

• Pouvez-vous me confirmer l'heure d'arrivée de l'avion ?

Can you confirm the time of arrival for the plane?

• Pouvez-vous me confirmer l'heure de départ ?

Can you confirm the time of departure?

• Attachez vos ceintures, s'il vous plaît.

Fasten your seat belts, please.

• Où est la boutique hors-taxes ?

Where is the duty free shop?

- Embarquement immédiat porte 3.
  Immediate boarding gate 3.
- Vous voyagez avec quelle compagnie ?
  What airline are you flying with?

VOYAGER EN TRAIN
TRAVELLING BY TRAIN

- Où est la gare la plus proche ?
  Where's the nearest railway station?
- À quelle heure arrive le train en provenance de Bristol ?
  What time does the train from Bristol arrive?
- À quelle heure part le prochain train pour Ipswich ?
  When does the next train for Ipswich leave?
- Je voudrais réserver une place.
  I would like to reserve a seat.
- Un aller simple pour Oxford, s'il vous plaît.
  A single ticket for Oxford, please.
- Un aller-retour pour Reading, s'il vous plaît.
  A return ticket for Reading, please.
- De quel quai part le train ?
  Which platform does the train leave from?

- Combien de temps dure le voyage ?

  How long does the journey take?
- Combien coûte un aller-retour en deuxième classe ?

  How much is a second-class return ticket?
- Est-ce qu'il y a un wagon-restaurant dans le train ?

  Does the train have a dining-car?
- Le train de 11 h 15 est-il déjà parti ?

  Has the 11:15 train already departed?
- N'oubliez pas de composter votre billet avant de monter dans le train.

  Remember to punch your ticket before you get on the train.
- Vos billets, s'il vous plaît.

  Your tickets, please.
- Le train entre en gare

  The train is pulling into the station.
- L'arrivée est prévue à 17 h 26.

  The train is scheduled to arrive at 5:26 p.m.

VOYAGER EN BUS/CAR
TRAVELLING BY TRAIN/COACH

- Où est l'arrêt d'autobus le plus proche?
  Where's the nearest bus stop?
- C'est quel bus pour aller au centre-ville ?
  Which bus do I take to get to the town centre?
- On peut y aller en bus ?
  Can you get there by bus?
- Il y a un bus tous les combien ?
  How frequent are the buses?
- C'est direct ?
  Is it direct?
- À quelle heure part le dernier autobus ?
  What time is the last bus?
- Cette place est occupée.
  This seat is taken.
- Un carnet, s'il vous plaît.
  A book of tickets, please.
- On descend ici, pour le cinéma?
  Do I get off here for the cinema?
- Pardon, je descends ici.
  Excuse me, this is my stop.

VOYAGER EN VOITURE
TRAVELLING BY CAR

- Cette voiture est facile à manœuvrer.
  This car is easy to handle.
- Démarrez la voiture.
  Start the engine.
- Attachez votre ceinture.
  Fasten your seat belt.
- Mettez votre clignotant.
  Signal / Indicate.
- Tournez à droite / à gauche.
  Turn right / left.
- Continuez tout droit.
  Go straight on.
- Suivez cette rue.
  Follow this road.
- Prenez la première sortie vers Cardiff.
  Take the first Cardiff exit.
- Tournez à droite au stop.
  Make a right turn at the stop sign.
- Attention, il y a un sens interdit.
  Be careful, there is a no-entry sign.
- La circulation est fluide.
  The traffic is clear.

- Il a eu une amende pour excès de vitesse.
  He was fined for speeding.
- Il faut que je fasse le plein.
  I have to fill up the tank.
- J'ai eu mon permis de conduire.
  I have passed my driving test.

CHEZ LE GARAGISTE
AT THE GARAGE

- Ma voiture est tombée en panne.
  My car has broken down.
- La voiture est tombée en panne d'essence.
  The car has run out of petrol / gas.
- J'ai un pneu crevé.
  I have got a puncture.
- La batterie est à plat.
  The battery is flat.
- Le moteur ne veut pas démarrer.
  The engine won't start.
- Vérifiez le niveau de l'huile / de l'eau, s'il vous plaît.
  Please check the oil / the water level.

- Vérifiez les pneus, s'il vous plaît.
  Please check the tyres.
- Vérifiez la batterie, s'il vous plaît.
  Please check the battery.
- Coupez le moteur, s'il vous plaît.
  Please switch the engine off.

Chapitre 10

•

À L'HÔTEL
AT THE HOTEL

RÉSERVER
MAKING A RESERVATION

- Je voudrais réserver une chambre pour une nuit.
  I'd like to reserve a room for one night.
- Auriez-vous une chambre libre pour deux ?
  Would you have a double room available?
- Est-ce qu'il vous reste des chambres ?
  Do you have any vacancies?
- Puis-je réserver une chambre pour ce soir ?
  Can I book a room for tonight?
- Nous n'avons plus qu'une chambre pour une personne.
  We only have one single room left.
- Combien coûte une chambre double ?
  How much is a double room?
- Pouvez-vous nous faire une réduction ?
  Can you give us a discount?
- Lit double, ou lits séparés ?
  Would you like a double bed or twin beds?

• Une chambre fumeur ou non fumeur ?

A smoking or non-smoking room?

• Vous restez combien de temps ?

How long will you be staying?

• À combien est la nuit pour une personne ?

What's the room rate for a single room?

• Le petit déjeuner est-il compris ?

Is breakfast included?

• Y a-t-il une salle de bains dans la chambre ?

Does the room come with a bathroom?

• Chaque chambre a une kitchenette pour que vous puissiez préparer vos repas.

Each room has a kitchenette so you can prepare you own meals.

ARRIVER
CHECKING IN

• Vous avez une réservation ?

Do you have a reservation?

• Puis-je avoir votre nom et votre numéro de téléphone ?

May I have your name and phone number?

- Pourriez-vous compléter cette fiche, s'il vous paît ?
  May I ask you to fill in this form for me, please?
- J'ai une réservation au nom de Martin.
  I have a reservation under the name of Martin.
- Bonjour, j'ai réservé une chambre.
  Hi, I'd like to check in. I have a reservation.
- J'ai réservé une chambre double pour deux nuits.
  I have a reservation for a double room for two nights.
- Voici votre clé. Vous avez la chambe 253.
  This is your key. You will be in room 253.
- Votre chambre est au premier étage. Vous pouvez prendre l'ascenseur sur votre gauche.
  Your room is on the first floor. You can use the lift on your left.
- À quelle heure est le petit déjeuner ?
  What time is breakfast served in the morning?
- Y a-t-il une connexion Internet dans la chambre ?
  Can I use the Internet in my room?
- Il y a un coffre-fort dans chaque chambre.
  There is a safe deposit box in each room.
- Dois-je régler maintenant ou au moment du départ ?
  Do I pay now or at checkout?

NE VOUS PERDEZ PAS !

Tout le monde n'est pas d'accord sur la numérotation des étages :
Aux États-Unis, le rez-de-chaussée s'appelle *first floor*, mais on dit *ground floor* en Grande-Bretagne.
Donc, bien évidemment, aux États-Unis, le premier étage se dit *second floor*, mais *first floor* en Grande-Bretagne. Et ainsi de suite !

QUITTER L'HÔTEL
CHECKING OUT

- Je voudrais signaler mon départ.
  I would like to check out.
- Pouvez-vous préparer notre facture ?
  Can you prepare our bill?
- À quelle heure faut-il libérer la chambre ?
  What time is checkout?
- J'espère que nous aurons le plaisir de vous recevoir à nouveau.
  It would certainly be a pleasure hosting you again.

• Nous espérons bien vous accueillir dans notre hôtel une prochaine fois.

We are looking forward to welcoming you again in our hotel.

• Puis-je laisser mes bagages ici pour les récupérer plus tard dans la journée ?

Can I leave my luggage here until later today?

• Certainement. Nous allons mettre vos bagages dans le local à bagages fermé à clé.

Certainly. We'll put your luggage in our locked storage room.

LES BAGAGES

Le mot *luggage* ne s'emploie pas au pluriel. Il signifie « les bagages ». Si on veut parler d'un seul bagage, on dit *a piece of luggage.*

LE SERVICE DE CHAMBRE
ROOM SERVICE

• On déballera nos valises plus tard.

We'll unpack our suitcases later.

• Pourrais-je avoir un oreiller / une couverture supplémentaire ?

May I have an extra pillow / blanket, please?

• Pourriez-vous faire monter une bouteille de champagne ?

Could you send a bottle of champagne up to my room?

• Votre repas vous sera apporté très vite.

Your food will be delivered promptly.

• Pourriez-vous nous appeler un taxi pour 11 heures ?

Could you please call a taxi for us at 11?

• Voulez-vous que je vous appelle un taxi ?

Would you like me to call a taxi for you?

• Je voudrais être réveillé à 6 h 30, s'il vous paît.

I'd like a wake-up call at 6:30, please.

Chapitre 11

•

LE TEMPS QU'IL FAIT
THE WEATHER

POUR LANCER LA CONVERSATION
TO START THE BALL ROLLING

LE MEILLEUR MOYEN DE LANCER LA CONVERSATION

Rien de tel que de parler du temps pour aborder une conversation. C'est un sujet inépuisable en Grande-Bretagne. Toutefois, ne vous avisez pas de vous plaindre de la pluie qui n'a pas cessé depuis quatre jours… Laissez aux Britanniques le privilège de reconnaître quelques petits désagréments…

- Quel beau temps!
  Nice weather, isn't it?
- Quelle journée superbe !
  Glorious day, isn't it?

• Il fait beau, n'est-ce pas ? Pas un nuage dans le ciel.

It's a lovely day, isn't it? Not a cloud in the sky!

• On a eu de la chance avec le temps cet hiver !

We've been pretty lucky with the weather this winter, haven't we?

• Ce temps est incroyable ! Ces journées douces en plein milieu de l'hiver !

Can you believe this weather? These balmy days in the middle of winter!

LE TEMPS DANS LES CONVERSATIONS
THE WEATHER IN CONVERSATIONS

• Quel temps fait-il aujourd'hui ?

What's the weather like today?

• Il fait du vent.

It's windy.

• Il fait du soleil.

It's sunny.

• Il pleut.

It's raining.

• Il pleut à verse.

It's pouring down.

- Les nuages passent. Ça s'éclaircit déjà.
  The clouds are passing. It's clearing up already.
- Cette tempête était terrible.
  That storm was horrible.
- Le déluge a causé beaucoup d'inondations.
  The downpour caused a lot of flooding yesterday.
- Il a fait si froid ; on a hâte que cela se réchauffe !
  It's been so cold; we're looking forward to it warming up!
- Les ouragans causent souvent des dégâts aux États-Unis.
  Hurricanes often wreak havoc in the United States

IL PLEUT DES CHATS ET DES CHIENS ?

Mais non… C'est une expression imagée pour dire qu'il pleut des cordes :
It's raining cats and dogs.

LA TEMPÉRATURE
TEMPERATURE

- Il fait froid.
  It's cold.
- Il fait chaud.
  It's warm.
- Il fait très chaud.
  It's hot.
- L'automne est généralement frais et humide à Londres.
  Autumn is usually chilly and damp in London.
- Il gèle aujourd'hui.
  It's freezing cold today!
- Il fait une chaleur accablante.
  It's scorching hoait
- Le temps est étouffant.
  It's stifling hot.
- J'ai vraiment froid.
  I am really cold.
- Le froid glacial était inattendu.
  The bitter cold was unexpected.

LA MÉTÉO
THE WEATHER-FORECAST

• Vous avez entendu la météo.

Did you hear the weather forecast?

• Il se pourrait qu'il pleuve sur les Highlands.

There might be some rain over the Highlands.

• On prévoit des températures fraîches après le coucher du soleil.

Chilly temperatures are expected after sunset.

• Il y aura des nuages avec des éclaircies au-dessus de Londres.

It will be cloudy with sunny spells over London.

• De nouvelles chutes de neige sont attendues dans les Midlands.

More heavy snow falls are expected in the Midlands.

• La neige et le verglas continuent de désorganiser les transports.

Snow and ice continue to cause travel disruption.

• On annonce dix centimètres de neige pour dimanche.

They're calling for ten centimeters of snow on Sunday.

• Le froid intense va continuer jusqu'à vendredi.

The bitter cold is expected to continue into Friday.

• On s'attend à ce que les températures se rafraîchissent cette semaine.

We are expecting the temperature to cool down this week.

Chapitre 12

•

JE SUIS MALADE
I AM SICK

PRENDRE RENDEZ-VOUS
MAKING AN APPOINTMENT

• Bonjour. Je voudrais prendre rendez-vous avec un médecin, s'il vous plaît.
Good morning. I'd like to make an appointment to see a doctor, please.

• Cabinet du Dr Dor. Que puis-je faire pour vous ?
D. Dor's surgery. How can I help you?

• J'ai besoin d'un médecin.
I need a doctor.

• Pourrais-je venir cet après-midi ?
Could I come this afternoon?

• Je vais vérifier. Restez en ligne une minute.
I'll check. Could you hold on for one minute?

• Oui. Est-ce que 15 heures vous irait ?
Yes. How about 3 o'clock?

LES PETITS BOBOS
MINOR AILMENTS

- Qu'est-ce qui ne va pas ?
  What's wrong with you?
- Que se passe-t-il ?
  What's the matter?
- Je ne me sens pas bien. Ça fait mal.
  I don't feel well. It hurts.
- J'ai l'impression que je vais avoir un rhume.
  I feel like I'm going to get a cold.
- J'ai mal à la gorge.
  I have a sore throat.
- J'ai mal au dos.
  I have a backache.
- J'ai mal à la tête.
  I have a headache.
- J'ai mal aux dents.
  I have a toothache.
- J'ai mal à l'estomac.
  I have a stomachache.
- J'ai mal aux pieds.
  My feet hurt.
- J'ai la grippe.
  I have (the) flu.

- J'ai le nez bouché.
  My nose is stuffed up.
- J'ai de la fièvre.
  I have a fever.
- Mon fils s'est écorché le genou.
  My son scraped his knee.
- J'ai des nausées.
  I feel nauseous.

UN PEU PLUS SÉRIEUX
A LITTLE MORE SERIOUS

- J'ai terriblement mal au dos.
  I have a terrible ache in my back.
- Depuis combien de temps votre dos vous fait-il souffrir ?
  How long has your back been bothering you?
- Je suis allergique aux cacahuètes.
  I am allergic to peanuts.
- J'ai une tendance au diabète.
  I am prone to diabetes.
- Vous avez de la tension.
  You have high blood pressure.

- Votre pouls est faible.
  Your pulse is weak.
- Il y a des maladies cardiaques dans ma famille.
  Heart disease runs in my family.
- C'est une maladie infectieuse.
  This is an infectious disease.
- Je n'en peux plus. J'ai trop mal.
  I can't bear it anymore. The pain is too much.

LES PARTIES DU CORPS

Pour pouvoir dire où vous avez mal, il faut savoir nommer les parties de votre corps. Quelques mots à connaître :

Oreille	*ear*	Œil	*eye*
Bouche	*mouth*	Cou	*neck*
Épaules	*shoulders*	Bras	*arm*
Coude	*elbow*	Main	*hand*
Genou	*knee*	Jambe	*leg*
Pied	*foot*		

À L'HÔPITAL
AT THE HOSPITAL

- En cas d'urgence, allez à l'hôpital.
  In an emergency, go to the hospital.
- Elle a été opérée.
  She had surgery / She was operated on.
- Pouvez-vous appeler une ambulance ?
  Can you call an ambulance?
- C'est une crise cardiaque.
  It is a heart attack.
- A-t-il besoin de RCP (réanimation cardio-pulmonaire) ?
  Does he need CPR?
- Il est gravement blessé.
  He is badly injured.

LE NUMÉRO D'URGENCE

En Grande-Bretagne, faites le 999. Une personne vous orientera vers un service d'urgence : hôpital, pompiers, commissariat de police, sauveteurs en mer, etc.
Aux États-Unis, faites le 911 (appels gratuits).

QUELQUES REMÈDES
A FEW REMEDIES

- Est-ce que cela me fait du bien ?
  Is it good for me?
- Essayez de faire de l'exercice autant que possible.
  Try to exercise as much as possible.
- Je suis un traitement homéopathique.
  I follow a homeopathic regimen.
- Couchez-vous et essayez de dormir.
  Just lie down and try to get some sleep.
- Vous avez pris des comprimés ?
  Did you take any tablets?
- Prenez-vous des médicaments en ce moment ?
  Are you taking any medicine at the moment?

- Vous allez avoir besoin d'une piqûre.
  You'll need an injection / a shot (US).

JE ME SENS MIEUX
I'M FEELING BETTER

- Je suis complètement guéri(e).
  I have completely recovered.
- Cette pommade a guéri ma blessure.
  This cream has healed your wound.
- Je me sens mieux.
  I'm feeling better.

Chapitre 13

•

LES LOISIRS
LEISURE

LES ACTIVTÉS
ACTIVITIES

• Quelle est votre activité de loisir favorite ?

What is your favourite leisure activity?

• Qu'est-ce que vous aimez faire quand vous avez du temps libre ?

What do you enjoy doing in your spare time?

• Y a-t-il des choses qui vous passionnent ?

Are there any hobbies you do?

• J'aime bien dessiner et peindre.

I enjoy drawing and painting.

• Oh ! Vous savez dessiner et peindre ?

Oh! You can draw and paint?

• Vous avez pris des cours de dessin ?

Did you take an art class?

• J'adore les jeux de cartes.

I just love card games.

- Elle passe beaucoup de temps à faire des travaux d'aiguille.

  She spends a lot of time on needlework.

PRÉPARER UNE SORTIE
PLANNING AN OUTING

- Vous êtes pris vendredi soir ?

  Are you busy on Friday evening?
- Vous voulez venir avec nous au spectacle ?

  Would you like to join us to the show?
- Et si on allait au resto chinois après le spectacle ?

  Why don't we go to a Chinese restaurant after the show?
- Ça vous dirait qu'on aille dîner ensemble ?

  Would you like to have dinner together?
- Qu'est-ce que vous faites ce week-end ?

  What are you doing this weekend?
- Vous voulez venir faire une randonnée avec nous ?

  Would you like to come hiking with us?

PARLER DE SPORTS
TALKING ABOUT SPORTS

- Quel sport pratiquez-vous ?
  What sport do you do?
- Que faites-vous pendant vos loisirs ?
  What do you do in your spare time?
- Vous êtes bon au tennis ?
  Are you good at tennis?
- Aimez-vous jouer au football ?
  Do you like playing football?
- Avez-vous déjà fait du ski ?
  Have you ever been skiing?
- Avez-vous déjà essayé le surf des neiges ?
  Have you ever tried snowboarding?
- Vous allez souvent à la piscine ?
  Do you often go to the swimming pool?
- Avec qui y allez-vous ?
  Who do you go with?
- Quels sports aimez-vous regarder à la télé ?
  What sports do you like to watch on TV?
- Quelle est votre équipe de foot favorite ?
  What's your favorite football team?

AU MATCH
AT THE MATCH

- C'était vraiment un beau match !
  That was a great match!
- Mille personnes ont assisté au match.
  One thousand people attended the match.
- Je ne supporte pas de voir perdre mon équipe.
  I can't bear seeing my team lose.
- Tu es supporter de quelle équipe ?
  What team do you support?
- Quel joueur magnifique !
  What a great player he is!
- Il a marqué trois buts.
  He scored three goals.
- Je suis un fan de Manchester United.
  I am a Manchester United fan.

QUESTION FOOT

Aux États-Unis on appelle ce sport *soccer*. Le mot *football* est réservé au « football américain ». À noter que le sport qui soulève l'enthousiasme des foules aux États-Unis est plutôt le baseball.

Chapitre 14

•

AU TRAVAIL
AT THE WORKPLACE

QUE FAITES-VOUS ?
WHAT DO YOU DO?

- Quelle est votre profession ?
  What is your occupation?
- Je suis programmeur.
  I am a computer analyst.
- Je suis infirmier(e).
  I am a nurse.
- Je suis assistante sociale.
  I am a social worker.
- Je dirige ma propre affaire.
  I run my own business.
- Je suis retraité(e).
  I am retired.

QUE FAITES-VOUS ?

Il ne faut pas confondre une demande qui porte sur le métier :

- Que faites-vous? — Je suis professeur.

What do you do? — I am a teacher.

avec d'une demande qui porte sur ce que vous faites en ce moment :

- Que faites-vous? — Je révise mon anglais.

What are you doing? — I am revising my English.

COMMUNIQUER AVEC SES SUPÉRIEURS
COMMUNICATING WITH SUPERIORS

LE REGISTRE DE LANGUE

Le registre de langue employé avec les supérieurs hiérarchiques est souvent beaucoup plus formel que dans la conversation familiale.

• Bonjour Monsieur. Puis-je vous poser une question ?

Good morning, Mr. Jones, may I ask you a question?

• Certainement. En quoi puis-je vous aider ?

Certainly, how can I help you?

• Il semble que nous ayons un problème avec ce compte.

We seem to be having a problem with this account.

• Il faudrait que nous nous réunissions pour en parler.

We'd better get together to discuss the situation.

• Est-ce que 16 heures vous irait ?

Would 4 o'clock suit you?

• Excusez-moi. Pourriez-vous me donner l'heure ?

Pardon me. Do you think you could give me the time?

• Certainement. Il est midi et demi.

Certainly, it's twelve thirty.

• Pourriez-vous m'aider dans ce dossier ?

Do you think you could help me with this?

• Bien sûr, avec plaisir.

I'd be happy to help you.

LES BONS USAGES

En Grande-Bretagne comme aux États-Unis, on s'adresse à quelqu'un en l'appelant *Mr. Jones* ou *Mrs. Truman*, ce qui serait mal venu en français, où on dit seulement : « Bonjour Monsieur » ou « Bonjour Madame ».
Notons toutefois que l'ambiance est souvent beaucoup plus décontractée aux États-Unis, où il n'est pas rare que tout le monde s'appelle par son prénom.

AU TÉLÉPHONE
ON THE PHONE

- Allô ? C'est Ken Dowry.
  Allo? This is Ken Dowry speaking.
- Puis-je demander qui est à l'appareil ?
  Can I ask who is calling, please?
- Puis-je avoir le poste 352 ?
  Can I have extension 352?
- Puis-je parler à M. Jones ?
  Could I speak to Mr. Jones?

- Est-ce que Jack est là ?

  Is Jack in?
- Je vous mets en relation.

  I'll put you through.
- Pouvez-vous rester en ligne ?

  Can you hold on a moment?
- Je rappellerai dans dix minutes.

  I'll call back in ten minutes.
- Désolé, M. Jones n'est pas disponible pour le moment.

  I'm afraid, Mr. Jones is not available at the moment.
- La ligne est occupée.

  The line is busy.
- Puis-je prendre un message ?

  May I take a message?
- Puis-je lui dire qui a appelé ?

  Can I tell him who is calling?
- Voulez-vous laisser un message ?

  Would you like to leave a message?

PARTICIPER À UNE RÉUNION
PARTICIPATING IN A MEETING

• Je suis certain(e) que…
I'm positive that…
I (really) feel that…

• À mon avis, …
In my opinion,…

• J'ai tendance à penser que…
I tend to think that…

• Je vois ce que vous voulez dire.
I see what you mean.

• Je suis totalement d'accord avec vous.
I totally agree with you.

• Désolé(e), je ne peux pas être d'accord.
I'm afraid, I can't agree.

• Ai-je été clair(e) ?
Have I made that clear?

• J'aimerais que vous m'écoutiez.
I'd like you to listen to me.

• Pourriez-vous nous rendre compte de ce qui s'est passé ?
I wonder if you could give us an account of what happened.

- Désolé(e), je n'ai pas compris. Pourriez-vous répéter ?

  I'm afraid, I didn't understand that. Could you repeat?

- Je ne vois pas ce que vous voulez dire. Pourrions-nous avoir plus de détails ?

  I don't see what you mean. Could we have some more details, please?

- Pourriez-vous épeler cela pour moi, s'il vous plaît ?

  Would you mind spelling that for me, please?

- Excusez-moi. Je pense que vous n'avez pas compris ce que je voulais dire.

  Sorry, I think you misunderstood what I said.

CONDUIRE UNE RÉUNION
HOLDING A MEETING

- Bonjour, tout le monde.

  Good morning / afternoon, everyone.

- Si tout le monde est là, nous allons commencer.

  If we are all here, let's get started.

• Nous avons le plaisir d'accueillir Mme Delan, d'ABC.

We're pleased to welcome Mrs. Delan from ABC.

• Je voudrais vous présenter Mme Delan.

I'd like to introduce Mrs. Delan.

• Désolé(e), Jenny ne peut pas être avec nous aujourd'hui. Elle est à Baltimore.

I'm afraid, Jenny can't be with us today. She is Baltimore.

• John, avez-vous fini le rapport sur notre nouvelle offre ?

John, have you completed the report on our new package?

• Est-ce que tout le monde a eu une copie du rapport Smith ?

Has everyone received a copy of the Smith report?

• Jill, pourriez-vous prendre les notes aujourd'hui ?

Jill, would you mind taking notes today?

• Je suggère que nous commencions par un tour de table.

I suggest we go round the table first.

• Donc, commençons avec le point numéro un.

So, let's start with item number one.

- Thomas, pouvez-vous présenter ce premier point ?

    Thomas, would you like to introduce this item?
- Je vais résumer les points principaux.

    Let me just summarize the main points.
- Pour résumer,… / En bref,…

    To sum up,… / In brief,…
- Pouvons-nous fixer la date de la prochaine réunion ?

    Can we set the date for the next meeting, please?
- Merci à tous d'être venus.

    Thank you all for attending.
- La réunion est terminée.

    The meeting is closed.

ÉCRIRE UNE LETTRE
WRITING A LETTER

POUR COMMENCER VOTRE LETTRE

• Si vous ne connaissez pas le nom de la personne à qui vous écrivez, notez seulement :
Dear Sir, / Dear Madam,
Cher Monsieur, / chère Madame,
• Si vous connaissez son titre, notez :
Dear Personnel Director,
Cher directeur du personnel,
• Si vous connaissez le nom de la personne à qui vous écrivez, commencez ainsi :
Dear Mr. / Mrs. / Miss Smith,
Cher M. / Mme / Mlle Smith,
À noter que, de plus en plus, on évite le choix entre *Miss* et *Mrs.* en employant *Dear Ms. Smith.*
• Si vous connaissez personnellement la personne, vous pouvez écrire :
Dear Frank,
Cher Franck,

- Merci pour votre lettre du 25 septembre.
  Thank you for your letter of September 25th.
- Suite à votre annonce parue dans le *Times*,...
  With reference to your advertisement in the Times,...
- Suite à votre lettre du 3 décembre,...
  With reference to your letter of 3rd December,...
- Je vous écris pour demander des renseignements à propos de votre offre.
  I am writing to inquire about your offer.
- Vous serait-il possible de...
  Could you possibly...?
- Je vous serais reconnaissant(e) de bien vouloir...
  I would be grateful if you could...
- Je serais ravi(e) de faire cela.
  I would be delighted to do that.
- Malheureusement,...
  Unfortunately,...
  I am afraid that...
- Je joins une copie de ma réclamation.
  I am enclosing a copy of my complaint.
- Vous trouverez ci-joint...
  Enclosed you will find...

POUR FINIR VOTRE LETTRE

• Si vous ne connaissez pas le nom de la personne à qui vous écrivez, notez :
Yours faithfully,

• Si vous connaissez le nom de la personne, vous pouvez employer :
Yours sincerely,

• Si vous connaissez personnellement la personne, utilisez :
Best wishes, / Best regards,

ANNEXES

•

ANNEXE 1

•

LES FORMES VERBALES

BE

CONJUGAISON

PRÉSENT

Forme affirmative	Forme interrogative	Forme négative
I am / I'm	Am I?	I am not / I'm not
You are / You're	Are you?	You are not / You aren't
He is / He's	Is he?	He is not / He isn't
You are / You're	Are we?	We are not / We aren't
We are / We're	Are you?	You are not / You aren't
They are / They're	Are they?	They are not / They aren't

PRÉTÉRIT

Forme affirmative	Forme interrogative	Forme négative
I was	Was I?	I was not / wasn't
You were	Were you?	You were not / weren't
He / she / it was	Was he / she / it?	He was not / wasn't
We were	Were we?	We were not / weren't

Forme affirmative	Forme interrogative	Forme négative
You were	Were you?	You were not / weren't
They were	Were they?	They were not / weren't

EMPLOI

Be décrit les propriétés du sujet, comme le verbe français être :

- Mary est blonde.
  Mary is blond.
- Je suis né(e).
  I was born.
- Il est né.
  He was born.

Be se traduit parfois par avoir, aller, ou faire.

LES EXPRESSIONS AVEC *BE*

- Il a 14 ans.
  He is 14.
- Il a faim.
  He is hungry.
- Elle a froid.
  She is cold.

- Il a peur.
  He is afraid.
- Il a raison / tort.
  He is right / wrong.
- Il fait froid / chaud / très chaud.
  It's cold / warm / hot.

Be entre dans l'expression *there is* (+ nom singulier) / *there are* (+ nom pluriel) pour traduire « il y a » :

- Il y a un chien dans le jardin.
  There's a dog in the garden.
- Il y a beaucoup de voitures dans la rue.
  There are lots of cars in the street.

HAVE

CONJUGAISON

PRÉSENT

Forme affirmative	Forme interrogative	Forme négative
I have	Do I have	I do not have
You have	Do you have?	You do not have
He / she / it has	Does he / she / it have?	He / she / it does not have
We have	Do we have?	We do not have
You have	Do you have?	You do not have

Forme affirmative	Forme interrogative	Forme négative
They have	Do they have?	They do not have

PRÉTÉRIT

Forme affirmative	Forme interrogative	Forme négative
I had	Did I have	I did not have
He / she / it had	Did he / she / it have?	He / she / it did not have
You had	Did you have?	You did not have
We had	Did we have?	We did not have
You had	Did you have?	You did not have
They had	Did they have?	They did not have

EMPLOI

Have exprime la possession ou la parenté, comme le verbe français avoir :
As-tu une sœur ? Non, je n'en ai pas.
Do you have a sister? No, I don't have one.

En anglais britannique, on utilise souvent *have got* :
- As-tu un ordinateur ? Oui, j'en ai un.
  Have you got a computer? Yes, I've got one.

Have se traduit par prendre, faire ou d'autres verbes.

LES EXPRESSIONS AVEC *HAVE*

- Prendre son petit déjeuner / déjeuner / dîner.
  Have breakfast / lunch / dinner.
- Prendre une pizza, un verre.
  Have a pizza / a drink.
- Faire une promenade.
  Have a walk.
- S'amuser.
  Have a good time.

LE PRÉSENT

CONJUGAISON

LE PRÉSENT SIMPLE

Forme affirmative	Forme interrogative	Forme négative
I work	Do I work?	I do not work
You work	Do you work?	You do not work
He / she / it works	Does he / she / it work?	He / she / it does not work
We work	Do we work?	We do not work
You work	Do you work?	You do not work
They work	Do they work?	They do not work

LE PRÉSENT *BE* + V-*ING*

Forme affirmative	Forme interrogative	Forme négative
I am working	Am I working?	I am not working
You are working	Are you working?	You are not working
He / she / it is working	Are he / she / it working?	He / she / it is not working
We are working	Are we working?	We are not working
You are working	Are you working?	You are not working
They are working	Are they working?	They are not working

EMPLOI

– Présent simple

On parle d'une habitude, d'un fait habituel :

• Elle travaille à Londres.

She works in London.

– Présent *be* + V-*ing*

On parle de ce que l'on observe :

• Regarde. Le bus arrive.

Look! The bus is coming.

LE PASSÉ

CONJUGAISON

LE PRÉTÉRIT SIMPLE VERBES RÉGULIERS

Forme affirmative	Forme interrogative	Forme négative
I worked	Did I work	I did not work
You worked	Did you work?	You did not work
He / she / it worked	Did he / she / it work?	He / she / it did not work
We worked	Did we work?	We did not work
You worked	Did you work?	You did not work
They worked	Did they work?	They did not work

VERBES IRRÉGULIERS : IL FAUT LES APPRENDRE PAR CŒUR !

Aux formes interrogative et négative, on retrouve la base verbale :

- Elle est partie. *She went away.*
- Est-elle partie ? *Did she go away?*
- Elle n'est pas partie. *She did not go away.*

LE PRÉTÉRIT *BE* + V-*ING*

Forme affirmative	Forme interrogative	Forme négative
I was working	Was I working?	I was not working
You were working	Were you working?	You were not working
He / she / it was working	Was he / she / it working?	He / she / it was not working
We were working	Were we working?	We were not working

Forme affirmative	Forme interrogative	Forme négative
You were working	Were you working?	You were not working
They were working	Were they working?	They were not working

EMPLOI

– Prétérit simple

On parle d'un état ou d'une action passée, terminée :

- Nous sommes allés à Londres en décembre.
  We went to London in December.

– Prétérit *be* + V-*ing*

On parle de ce que l'on observait au moment dont on parle :

- J'attendais l'autobus quand Jill m'a appelé.
  I was waiting for the bus when Jill called me.

LE PRÉSENT PERFECT

CONJUGAISON

Forme affirmative	Forme interrogative	Forme négative
I have worked	Have I worked?	I have not worked
You have worked	Have you worked?	You have not worked

Forme affirmative	Forme interrogative	Forme négative
He / she / it has worked	Has he / she / it worked?	He / she / it has not worked
We have worked	Have we worked?	We have not worked
You have worked	Have you worked?	You have not worked
They have worked	Have they worked?	They have not worked

EMPLOI

Avec cette forme verbale, on fait le lien entre le présent et le passé. On fait un bilan ou parle d'un fait passé qui explique une situation présente :

- J'ai fini mon travail ; alors je peux regarder mes e-mails.

  I have finished my work; so I can read my emails.

L'AVENIR

Il n'y a pas de temps futur en anglais.

***BE GOING TO* + V**

- Il va pleuvoir.

  It's going to rain.

***WILL* + V**

- Je suis sûr qu'il va aimer cela.

  I am sure he will like that.

LES MODAUX

Les modaux permettent à la personne qui parle de donner son avis pour :

– dire dans quelle mesure elle est sûre de quelque chose ;
– porter un jugement ou faire pression sur autrui.

Les modaux sont invariables et sont suivis de la base verbale. Puisque ce sont des auxiliaires, on les place devant le sujet pour poser des questions :

- Tu m'entends ?
  Can you hear me?

VALEUR 1 : LES DEGRÉS DE CERTITUDE

- Tim aura 16 ans demain.
  Tim will be 16 tomorrow.
- Tim doit avoir 16 ans.
  Tim must be 16.
- Il se peut que Tim ait 16 ans.
  Tim may be 16.
- Tim ne peut pas avoir 16 ans.
  Tim can't be 16.

VALEUR 2 : JUGEMENT OU PRESSION SUR LE SUJET

La capacité : *can*

• Maria n'a que 5 ans mais elle sait lire.

Maria is only 5 but she can read.

La permission: *can / may*

• Tu peux partir maintenant. Tu n'es pas obligé(e) d'attendre.

You can go now. You don't have to wait.

L'obligation : *must*

• Il faut que tu viennes.

You must come.

L'interdiction : *must not*

• Tu ne dois pas fumer ici.

You mustn't smoke here.

Le conseil : *should*

• Tu devrais arrêter de fumer.

You should stop smoking.

ANNEXE 2

•

LES PRONOMS ET ADJECTIFS POSSESSIFS

Pronoms sujets	Pronoms compléments	Adjectifs possessifs
I	me	my
you	you	your
he / she / it	him / her / it	his / her / its
we	us	our
you	you	your
they	them	their

Une particularité de l'anglais

Tandis qu'en français, on accorde l'adjectif possessif avec le nom qui le suit (son frère, sa sœur), l'adjectif possessif anglais s'accorde avec le possesseur :

His sister.

Sa sœur. (On sait que l'on parle d'un garçon.)

Her mother.

Sa mère. (On sait qu'on parle d'une fille.)

ANNEXE 3

•

LES QUESTIONS

LES QUESTIONS « OUI / NON »

Facile : on met l'auxiliaire avant le sujet :

- Tu es en train de travailler ?

  Are you working?

Problème : que faire quand il n'y a pas d'auxiliaire ? On a recours à *do* :

- Tu travailles ici ?

  Do you work here?

LES AUTRES QUESTIONS

On les appelle les questions ouvertes.
On commence par le mot interrogatif, puis l'auxiliaire, puis le sujet, puis le verbe.

LES MOTS INTERROGATIFS

QUI ? : *WHO* ?

Pour interroger sur l'identité d'un être humain :

- Qui est cet homme ?

  Who is this man?

QUOI ? : *WHAT?*

Pour interroger sur la nature d'un objet :

- Qu'est-ce que c'est ?

    What is this?

QUAND ? : *WHEN*?

Pour interroger sur le moment :

- Quand l'avez-vous appelé ?

    When did you call him?

OÙ ? : *WHERE*?

Pour interroger sur le lieu :

- Où travaillez-vous ?

    Where do you work?

POURQUOI ? : *WHY*?

Pour interroger sur la cause :

- Pourquoi l'avez-vous appelé ?

    Why did you call him?

LEQUEL, LAQUELLE, LESQUELS ? : *WHICH*?

Pour interroger sur un choix entre quelques éléments :

- Lequel préférez-vous ?

    Which do you like best?

COMMENT ? : *HOW*?

Pour interroger sur la manière :

- Comment puis-je aller à Londres ?

    How can I get to London?

QUEL ÂGE ? : *HOW OLD*?

Pour interroger sur l'âge :

- Quel âge a-t-il ?

  How old is he?

À QUELLE DISTANCE ? : *HOW FAR*?

Pour interroger sur la distance :

- À quelle distance est la gare ?

  How far is it to the station?

COMBIEN DE TEMPS ? : *HOW LONG*?

Pour interroger sur la durée :

- Combien de temps dure le film ?

  How long is the film?

À QUELLE FRÉQUENCE ? : *HOW OFTEN*?

Pour interroger sur la fréquence :

- Vous allez au cinéma tous les combien ?

  How often do you go to the cinema?

À QUI ? : *WHOSE*?

Pour interroger sur l'identité du possesseur.

- À qui est ce livre ?

  Whose book is this?

ANNEXE 4

•

LES NOMBRES
NUMBERS

LES NOMBRES CARDINAUX

De 1 à 19	From 1 to 19
un – premier	one – first
deux – second	two – second
trois – troisième	three – third
quatre – quatrième	four – fourth
cinq – cinquième	five – fifth
six – sixième	six – sixth
sept – septième	seven – seventh
huit – huitième	eight – eighth
neuf – neuvième	nine – ninth
dix – dixième	ten – tenth
onze – onzième	eleven – eleventh
douze – douzième	twelve – twelfth
treize – treizième	thirteen – thirteenth
quatorze – quatorzième	fourteen – fourteenth

De 1 à 19	From 1 to 19
quinze – quinzième	fifteen – fifteenth
seize – seizième	sixteen – sixteenth
dix-sept – dix-septième	seventeen – seventeenth
dix-huit – dix-huitième	eighteen – eighteenth
dix-neuf – dix-neuvième	nineteen – nineteenth

LE ZÉRO

Nought (en américain *zero*) se lit comme la lettre « o » dans les numéros de téléphone, les numéros de bus et de chambre d'hôtel.

Les dizaines	Tens
vingt	twenty
trente	thirty
quarante	forty
cinquante	fifty
soixante	sixty
soixante-dix	seventy
quatre-vingt	eighty
quatre-vingt-dix	ninety

Les nombres composés	Compound numbers
vingt et un	twenty-one
trente-deux	thirty-two
quarante-trois	forty-three
cinquante-quatre	fifty-four
soixante-cinq	sixty-five
soixante-seize	seventy-six
quatre-vingt-sept	eighty-seven
quatre-vingt-dix-huit	ninety-eight

ENTRE LES DIZAINES ET LES UNITÉS

On met un trait d'union entre les dizaines et les unités.

Les centaines, les milliers, les millions	Hundreds, thousands, millions
cent	one hundred
cent un	one hundred and one
cent quarante-trois	one hundred and forty-three
deux cents	two hundred
trois cents	three hundred
trente millions	thirty million

Les mots *hundred, thousand* et *million* ne prennent pas de « s » final dans un nombre :

- Il y avait trois mille personnes.
  There were three thousand people.

En revanche, ils peuvent prendre un « s » quand ils sont utilisés comme noms (centaine, millier, million) :

- Il y avait des centaines de personnes.
  There were thousands of people.

Entre les centaines et les dizaines

En anglais britannique, on ajoute *and*, ce que ne font pas les Américains :
230 : *two hundred and thirty.*

Entre les milliers et les centaines

Lorsque l'on écrit en chiffres, une virgule sépare les milliers des centaines (au lieu du point en français) :
3,652 : *three thousand, six hundred and fifty-two.*

Les décimales

Les décimales sont précédées d'un point qui se prononce.

Deux et demi s'écrit *2.50* et se prononce *two point five.*

LES NOMBRES ORDINAUX

• D'une manière générale, ils se forment en ajoutant la terminaison *-th* au nombre cardinal.
On les écrit ainsi en abrégé : *4th*, *5th*, *6th*, etc.

• Exceptions : 1, 2 et 3 (ainsi que tous les nombres se terminant pas ces chiffres).
On les écrit ainsi en abrégé : *1st*, *2nd*, *3rd.*

On remplace la terminaison *-y* par *–ieth* :
The fortieth : *the 40th.*
The ninetieth : *the 90th.*

ANNEXE 5

•

LES VERBES IRRÉGULIERS

arise	arose	arisen	*s'élever*
awake	awoke	awoken	*(se) réveiller*
be	was	been	*être*
bear	bore	borne	*supporter*
beat	beat	beaten	*battre*
become	became	become	*devenir*
begin	began	begun	*commencer*
bend	bent	bent	*(se) courber*
bet	bet	bet	*parier*
bind	bound	bound	*lier*
bite	bit	bitten	*mordre*
bleed	bled	bled	*saigner*
blow	blew	blown	*souffler*
break	broke	broken	*casser*
breed	bred	bred	*donner naissance, élever*
bring	brought	brought	*apporter*
broadcast	broadcast	broadcast	*transmettre*
build	built	built	*construire*
burn	burnt / burned	burnt / burned	*brûler*
burst	burst	burst	*éclater*
buy	bought	bought	*acheter*
cast	cast	cast	*jeter, projeter*

catch	caught	caught	*attraper*
choose	chose	chosen	*choisir*
come	came	come	*venir*
cost	cost	cost	*coûter*
cut	cut	cut	*couper*
deal	dealt	dealt	*distribuer*
dig	dug	dug	*creuser*
do	did	done	*faire*
draw	drew	drawn	*dessiner*
dream	dreamt / dreamed	dreamt / dreamed	*rêver*
drink	drank	drunk	*boire*
drive	drove	driven	*conduire*
eat	ate	eaten	*manger*
fall	fell	fallen	*tomber*
feed	fed	fed	*nourrir*
feel	felt	felt	*sentir*
fight	fought	fought	*combattre*
find	found	found	*trouver*
flee	fled	fled	*fuir*
fling	flung	flung	*lancer*
fly	flew	flown	*voler*
forbid	forbade	forbidden	*interdire*
forget	forgot	forgotten	*oublier*
forgive	forgave	forgiven	*pardonner*
freeze	froze	frozen	*geler*
get	got	got	*obtenir*

give	gave	given	*donner*
go	went	gone	*aller*
grow	grew	grown	*pousser*
hang	hung	hung	*pendre*
have	had	had	*avoir*
hear	heard	heard	*entendre*
hide	hid	hidden	*cacher*
hit	hit	hit	*frapper*
hold	held	held	*tenir*
hurt	hurt	hurt	*faire mal*
keep	kept	kept	*garder*
kneel	knelt	knelt	*s'agenouiller*
know	knew	known	*savoir*
lay	laid	laid	*placer*
lead	led	led	*conduire*
lean	leant / leaned	leant / leaned	*s'appuyer*
leap	leapt/leaped	leapt/leaped	*sauter*
learn	learnt / learned	learnt / learned	*apprendre*
leave	left	left	*quitter*
lend	lent	lent	*prêter*
let	let	let	*laisser*
lie	lay	lain	*être couché*
light	lit / lighted	lit / lighted	*allumer*
lose	lost	lost	*perdre*
make	made	made	*faire*
mean	meant	meant	*vouloir dire*
meet	met	met	*rencontrer*

mow	mowed	mown	*tondre*
pay	paid	paid	*payer*
put	put	put	*mettre*
read	read	read	*lire*
ride	rode	ridden	*aller (à cheval* ou *à bicyclette)*
ring	rang	rung	*sonner*
rise	rose	risen	*se lever*
run	ran	run	*courir*
saw	sawed	sawn	*scier*
say	said	said	*dire*
see	saw	seen	*voir*
seek	sought	sought	*chercher*
sell	sold	sold	*vendre*
send	sent	sent	*envoyer*
set	set	set	*placer*
sew	sewed	sewn	*coudre*
shake	shook	shaken	*secouer*
shine	shone	shone	*briller*
shoot	shot	shot	*tirer*
show	showed	shown	*montrer*
shrink	shrank	shrunk	*rétrécir*
shut	shut	shut	*fermer*
sing	sang	sung	*chanter*
sink	sank	sunk	*(s')enfoncer*
sit	sat	sat	*(s')asseoir*

sleep	slept	slept	*dormir*
slide	slid	slid	*glisser*
smell	smelt /smelled	smelt /smelled	*sentir*
speak	spoke	spoken	*parler*
speed	sped / speeded	sped/ speeded	*se presser*
spell	spelt / spelled	spelt / spelled	*épeler*
spend	spent	spent	*dépenser*
spit	spat	spat	*cracher*
split	split	split	*diviser*
spoil	spoilt/spoiled	spoilt/spoiled	*abîmer, gâter (un enfant)*
spread	spread	spread	*étaler*
spring	sprang	sprung	*jaillir*
stand	stood	stood	*être debout*
steal	stole	stolen	*voler*
stick	stuck	stuck	*coller*
sting	stung	stung	*piquer*
stink	stank	stunk	*sentir mauvais*
stride	strode	stridden	*marcher*
strike	struck	struck	*frapper*
swear	swore	sworn	*jurer*
sweep	swept	swept	*balayer*
swim	swam	swum	*nager*
take	took	taken	*prendre*
teach	taught	taught	*enseigner*
tear	tore	torn	*déchirer*

tell	told	told	*dire*
think	thought	thought	*penser*
throw	threw	thrown	*jeter*
understand	understood	understood	*comprendre*
upset	upset	upset	*troubler*
wake	woke	woken	*réveiller*
wear	wore	worn	*porter*
weep	wept	wept	*pleurer*
win	won	won	*gagner*
write	wrote	written	*écrire*

Dans la collection **Le petit livre de** vous trouverez également **les thématiques** suivantes :

Pour consulter notre catalogue et découvrir les dernières nouveautés, rendez-vous sur **www.editionsfirst.fr** !